TAROT
magicomístico
DE ESTRELLAS
(POP)

Planeta

Obra editada en colaboración con Editorial Planeta – Colombia

Diseño de portada y de interior: Departamento de Diseño Planeta

© 2018, Amalia Andrade Arango
c/o Indent Literary Agency
www.indentagency.com

© 2018, Editorial Planeta Colombiana S. A. - Bogotá, Colombia

Derechos reservados

© 2018, Editorial Planeta Mexicana, S.A. de C.V.
Bajo el sello editorial PLANETA M.R.
Avenida Presidente Masarik núm. 111, Piso 2
Colonia Polanco V Sección
Delegación Miguel Hidalgo
C.P. 11560, Ciudad de México
www.planetadelibros.com.mx

Primera edición impresa en Colombia: abril de 2018
ISBN: 978-958-42-6759-7

Primera edición impresa en México: junio de 2018
Primera reimpresión en México: agosto de 2018
ISBN: 978-607-07-5106-6

Impreso en los talleres de Foli de México, S.A. de C.V.
Negra Modelo No. 4 Bodega A, Col. Cervecería Modelo, C.P. 53330
Naucalpan de Juárez, Estado de México.
Impreso en México − *Printed in Mexico*

Para Beyoncé,
que algún día leerá esto
(espero)

contenido

PRÓLO

60

¿Conocen a las personas que se obsesionan completamente con un tema específico y deciden investigarlo, analizarlo, estudiarlo, memorizarlo, aprenderlo, penetrarlo y custodiarlo[1] por los siglos de los siglos amén, hasta que se convierten en grandes conocedores, en expertos, en leyendas vivientes, en maestros del tema de su obsesión?

---

1 Sí, esas siete palabras son mucho. Pero descubrí que hay poder detrás del número siete, así que pretendo usarlo sin vergüenza en este libro y meterlo 7 en cualquier parte 777 del texto para que me trai7ga buena suerte.

Bueno, ese no es mi caso.

A lo que voy es que no soy una experta en el tarot. No soy Jodorowsky, definitivamente no soy Jung, no soy Walter Mercado (tristemente), no soy ni siquiera Leonor, la señora que le leía las cartas a mi mamá, mis tías y mis primas todos los domingos en la casa de mi abuela cuando yo era pequeña (nota: mucho después mi familia descubrió que los talentos de Leonor como lectora de tarot no eran tan buenos como los de cuidar niños, y entonces Leonor se convirtió en la nana de mi hermano y mi primo, pero esa es otra historia).

Soy una novata. Una novata curiosa y con ganas de aprender, pero novata, a fin de cuentas.

Crecí con la imagen de las cartas regadas en la mesa de madera oscura del comedor de la abuela, rodeadas de galletas de todo tipo y del café espeso que bebían mis tías. Recuerdo sus colores, sus imágenes y el revuelo que causaban en esas tardes tibias de domingo al sur de Cali, donde no ventea nunca. Siempre traían información mágica sobre el estado de salud del abuelo, sobre amantes lejanos o esposos que podrían estar (o no) en relaciones adúlteras con sus secretarias. Revelaban futuras fortunas, ayudaban a tomar decisiones, explicaban situaciones de vida que parecían absurdas, avisaban sobre posibles peligros y vaticinaban buenas nuevas.

El tarot era algo extraordinario, misterioso, y a la vez práctico, sanador y, sobre todo, infinitamente sabio. Alguna vez le confesé a una prima que yo quería jugar con él, y al día siguiente me regaló un mazo de un tarot de ángeles a los cuales yo podía hacerles las preguntas que quisiera, todo lo que necesitaba era encerrarme en mi cuarto, bajar la luz, preguntar y dejar que las cartas me hablaran. Desde ese entonces, jugar a acceder a respuestas que de alguna manera me eluden ha sido una de mis grandes pasiones.

Y si bien no soy ninguna experta, aquellas tardes de domingo en los noventa fueron suficientes para convertirme en una devota, una fiel creyente de que el tarot tiene superpoderes que le vienen bien a todo el mundo, independientemente de si han tenido una Leonor en sus vidas o no.

Estoy convencida de que el tarot tiene, por ejemplo, el superpoder de sanarnos a nosotros mismos (y a otros), el superpoder de ayudarnos a conocernos mejor y, principalmente, el superpoder de activar nuestros superpoderes. Y digo la palabra superpoder muy en serio, no como una metáfora o una hipérbole. Genuinamente creo que tenemos poderes, así como los tiene Superman. Cosas como: darle un consejo a un desconocido que termina cambiando su vida para siempre, ser capaz de convertir una idea en un libro que ocupa un espacio físico en el mundo o inventarse ritmos de la nada que hacen bailar a naciones enteras o simplemente a sus siete primos en la sala de su casa, son, de hecho, SUPERPODERES.

Por eso, y por mi amor a Beyoncé, decidí hacer este mazo/ libro.

Sé que se deben estar preguntando: ¿por qué Beyoncé?, ¿por qué Sophie Calle?, ¿por qué un tarot místico (de estrellas pop terrenales)?

Porque sí.

Mentiras, no. La respuesta a esa pregunta es: porque el tarot funciona con arquetipos y las estrellas terrenales que nos rodean a veces encarnan esos arquetipos. Además, tenemos la equivocada (y ridícula) noción de que el tarot es algo sumamente difícil, limitado para ciertas personas que en apariencia tienen poderes mágicos con los que deben haber nacido porque si no no funciona y que idealmente huelen a incienso, están vestidos de bata, son una mujer y tienen un nombre raro como Azraela o algo así. Pero esto no puede estar más alejado de la realidad. El tarot es para todos, y al usar estrellas terrenales —esas imágenes que representan un modelo y que empiezan a ser parte del inconsciente colectivo de nuestros días— siento que muchos (yo incluida) podemos perderle el miedo, aprender, practicar y recibir sus poderes sanadores y, a lo mejor, si se nos antoja algo más profesional, experimentar con otro tipo de mazos.

(Nota: si usted se llama Azraela, usa bata, huele a incienso, nació con poderes para ver en el tarot lo que nadie ve, o simplemente es la experta que yo no soy: espero que no se tome nada personal, disfrute de este viaje iniciático por el que ya pasó y no se ría de mí. Al menos no en mi cara. Ni en Twitter. Eso duele).

TAROT magicomístico DE ESTRELLAS (POP)

A continuación, en este libro encontrarán un acompañamiento de las cartas que tienen en sus manos en este instante, que a propósito se llaman los Arcanos Mayores, donde aprenderemos qué son, qué significan, cómo leerlas y, sobre todo, cómo usarlas para conocernos mejor a nosotros mismos, para entender que a pesar de que exista un destino trazado para cada uno, en nuestras manos están los superpoderes que pueden mejorarlo, para respondernos preguntas importantes o para sanar todo tipo de dolores como los de un corazón roto o un cerebro lleno de miedos (guiño, guiño).

Como diría Leonor: que la magia comience[2].

---

2 Leonor no decía esto. Me lo acabo de inventar y es bastante cursi y feo, pero necesitaba una frase mágica para comenzar. No la necesitaba, la QUERÍA. Si Walter Mercado tiene una, yo también quiero.

INTRODUCCIÓN
al magico

místico

MUNDO

DEL TAROT

//UNO

¿DE dónde
SALEN UNAS
CAPACES DE
PREGUNTAS QUE
nadie más
PUEDE?

EN EL MUNDO cartas QUE SON RESPONDER

Nadie sabe bien. Por un lado, hay muchas teorías e historias que parecen escritas por gente que consumía muchas drogas alucinógenas en el pasado y que no han sido confirmadas hasta el día de hoy. Por el otro, existen también historias que parecen escritas por guionistas de telenovelas latinoamericanas donde hay malos que le quieren robar el protagonismo a otros, santurrones que dicen que el tarot es brujería, o también hombres vanidosos que deciden que el único tarot que funciona es el que ellos se "inventaron", entre otros giros dramáticos.

A pesar del enredo, intentaré hacer una pequeña revisión histórica para entrar en contexto:

Según algunos, en el pasado se inventaron cartas para jugar —cuando digo pasado quiero decir en algún momento del siglo XIV en Egipto—. Esas son, con pequeñas variaciones dependiendo del lugar del mundo donde se usen, las cartas con las que actualmente las abuelitas se gastan sus pensiones jugando todo el día en el casino. No es que todas las abuelitas sean así, la mía, por ejemplo, no iba al casino, pero jugaba canasta con sus amigas en la sala de la casa, que es básicamente lo mismo. Ahora bien: ninguna abuelita juega a nada con cartas como El Loco o Los Enamorados (a menos que su abuelita sepa leer el tarot). Esas cartas eran (y son) llamadas Triunfos o Arcanos Mayores, y aparecieron por primera vez alrededor de 1440 o 1450 en Milán, Italia. Los Triunfos tenían (y tienen) figuras alegóricas e ilustraciones curiosas que eran pintadas a mano. Sin embargo, no existe ninguna información acerca del uso del tarot con fines magicomísticos sino hasta 1780, cuando se encontró un manuscrito anónimo que explicaba cómo usar las cartas para fines adivinatorios.

Lo que sigue es un rollo melodramático donde unos se peleaban (a muerte) con otros porque decían que el tarot era obra del diablo. Otros decían que no, que el tarot tenía poderes ocultos, sí, pero que también encarnaba valores cristianos y estaba patrocinado por clérigos protestantes y masones, como lo fue Antoine Court de Gébelin. Court de Gébelin afirmó que los Triunfos

eran realmente páginas del *Libro de Thoth*
—dios egipcio de los misterios y la magia,
inventor de la escritura y maestro de las palabras de poder—, y mandó a todo el mundo a bajarle a la rumba (es decir, a calmarse).

Posteriormente, apareció en escena Jean-
Baptiste Alliette, el primer señor que decidió usar un nombre artístico —fundando
así una tradición de nombres místicos como
Azraela—, más conocido como Etteilla. Etteilla quiso ningunear a Court de Gébelin,
por lo cual escribió un libro en dos tomos
que INCLUÍA lo que decía Gébelin, pero lo
llevaba más allá. Además de esto, decidió
lanzarse a la tarea de rediseñar las cartas
del tarot —porque las que existían "tenían
muchos errores"—, diseñando así un mazo
nuevo al cual nombró, con mucha humildad, El gran tarot de Etteilla.

Años después, otro señor[1], menos vanidoso, pero que también cambió su nombre original (Alphonse Louis Constant) por uno que sonara a "persona que lee el tarot": Eliphas Lévi[2], llegó a descubrir que el verdadero mazo databa no de Egipto, sino de épocas anteriores a Moisés, que estaba relacionado

---

1 Ojo: la historia del tarot no es sólo una historia de señores. Pasa, como en todo, que se suelen favorecer los descubrimientos o actos de grandes hombres, pero se deja a las mujeres por fuera de la historia oficial del mundo. Además de eso, mientras un hombre que estudiaba el tarot, su historia y sus implicaciones era considerado un intelectual y un sabio, una mujer que hacía lo mismo era (y es, a nuestro pesar) considerada una bruja, con todas las implicaciones sociales que esa palabra contiene. Habiendo dicho eso, se sabe de una mujer llamada Marie Anne Lenormand que sacó a Etteilla del partido (porque el karma es una perra) y se convirtió en la tarotista de cabecera de la época, contando con clientes de renombre como Napoleón Bonaparte.

2 Siento que este es un buen momento para contarles que Walter Mercado ya no se llama Walter Mercado, ahora se llama Shanti Ananda. Y no, ese no es un dato inventado, eso es real.

con la cábala y que era una llave que permitía acceder a la luz eterna del universo entero, más allá de religiones o ideas filosóficas. El mazo que usó Lévi es el tarot de Marsella, que inspiró a Jodorowsky, a Jung y el mazo que tienen en sus manos.

Fin de la revisión histórica[3].

TAROT *magicomístico* DE ESTRELLAS (P&P)

---

3 Para más información, recomiendo leer *La vía del tarot* de Alejandro Jodorowsky y Marianne Costa, *Jung y el tarot: un viaje arquetípico* de Sallie Nichols, o en su defecto Wikipedia.

Así es

Así es

Así es

así ES

así ES

así ES

//DOS

AHORA SÍ:

EL tar

¿QUÉ ES

ot?

Existen hasta hoy muchos mitos acerca de qué es el tarot, por lo cual me parece importante hacer una lista de cosas que el tarot **ES** y otra de las cosas que el tarot **NO ES**, antes de adentrarnos en cómo funciona y cómo usarlo.

LISTA DE COSAS QUE EL *tarot* SÍ ES :

△ Un mazo compuesto por setenta y ocho cartas divididas en Arcanos Mayores (grandes secretos) y Arcanos Menores (pequeños secretos).

△ Una manera de acceder al inconsciente propio y colectivo.

△ Una poderosa herramienta de autoconocimiento que es accesible para cualquiera que lo use.

△ Una vía para la comprensión de nuestro destino (entendiendo destino como camino de vida, no como acontecimientos a los que estamos condenados).

△ Una manera de ampliar nuestra percepción del universo, (nuestra consciencia), de "darnos cuenta", como diría Jung.

△ Un juego de libre asociación donde lo que importa son las imágenes, los símbolos, y no las palabras.

△ Un grupo de cartas donde las imágenes **PROYECTAN** acontecimientos, personas o cosas de la vida propia. De esta manera, leer las cartas del tarot es en realidad leer la vida misma.

LISTA DE cosas QUE EL TAROT no ES:

△ Brujería.

△ Juegos del diablo.

△ Algo que le va a ayudar a ganarse la lotería.

△ Algo que va a tomar decisiones por usted cuando a usted le dé pereza.

△ Un manual de adivinación.

△ Una estafa de personas versadas en decirle a otros lo que quisieran oír.

△ Una cosa de los Illuminati[1].

---

1 Mentiras, obvio el tarot sí tiene que ver con los Illuminati.

//TRES

¿cómo

FUNCIONA?

El tarot es un lenguaje universal que se expresa no mediante palabras, sino mediante símbolos que se hacen disponibles a través de un lenguaje visual (números e imágenes). Esto quiere decir que el tarot es como cualquier otro idioma —ejemplo: el arameo—, sólo que superior. En su caso no se necesita media vida para aprenderlo, no es prerrequisito para el trabajo de sus sueños (a menos que el trabajo de sus sueños sea leer el tarot, en ese caso sugiero practicar mucho), no necesita cursos *online*, ni apps como Duolingo, ni nada de nada. Obvio, los cursos *online* son bienvenidos (al igual que este libro), pero como **GUÍAS** no como **MAESTROS**. La magia del tarot es que él mismo enseña cómo leerlo, y lo único que se necesita para acercarse a este es estar dispuestos a recibir lo que nos muestre.

Lo que sigue es un poco complejo, así que voy a explicarlo como si fuera una receta. ¿Por qué una receta? ¿Honestamente? Porque mientras escribo este libro mi novia está atravesando una fuerte faceta de "quiero ser chef"[1], y estoy en ese momento de la vida cuando me veo obligada a ver no menos de dos horas de programas de cocina a la semana para demostrarle mi amor. Debido a la sobreexposición a saberes cu-

─────────

1 En mi opinión ella no necesita estudiar para ser chef, desde siempre ha cocinado delicioso y esa es una de las razones secretas no tan secretas por las que la amo.

TAROT *magicomístico* DE ESTRELLAS (ᴾꝊᴾ)

linarios, ahora sólo puedo pensar las cosas en términos de cocción, braseado, escalfar y esas cosas. Y además me doy cuenta de que es una buena manera de sintetizar un tema que parece infinito, más en este mundo de hoy que es inabarcable y lleno de cosas que están esperando a ser descubiertas.

Así que hagamos de cuenta que para leer el tarot se necesita lo siguiente:

INGREDIENTES

- △ Una pregunta.
- △ Poco prejuicio.
- △ Algo llamado sincronicidad (que explicaré en breve).
- △ La presencia de su inconsciente personal y/o colectivo[2].

---

2 Mucha gente asocia *inconsciente* con cosas como "mensaje subliminal" o "el lugar oscuro de la mente que se despierta cuando alguien pone una canción de

- ♦ Ganas de ahondar en el autoconocimiento.
- ♦ Entender cómo funcionan las proyecciones y los arquetipos.
- △ Un mazo de tarot.
- ♦ Sal y pimienta al gusto.

Nota: antes de la preparación, se recomienda lavarse las manos para quitarse energías con las que hemos cargado todo el día (o toda la vida).

Marilyn Manson al revés". Para dejarlo claro de una vez por todas, siempre que lean la palabra inconsciente en este libro, se hace referencia al término acuñado por Sigmund Freud y después explorado por Carl Jung que significa un lugar de nuestra mente que está activo, pero al cual no tenemos acceso, o por lo menos no de manera tradicional. El inconsciente es el lugar donde se esconden o reprimen muchos de nuestros deseos, miedos, saberes y traumas. Esta parte profunda de nuestra mente nos habla, por ejemplo, a través de sueños, intuiciones o inexplicables impulsos.

TAROT *magicomístico* DE ESTRELLAS (P♀P)

PREPARACIÓN

Se toma un tazón de cereal donde se vierte la sincronicidad. Sincronicidad es aquello que hace que la carta o cartas que escogemos de manera aleatoria sean seleccionadas gracias a algo en nuestro interior que nos lleva a la respuesta que más necesitamos en ese momento. Es una especie (especia) de intención. Se agrega el mazo del tarot y se bate fuertemente hasta crear una masa consistente (parecida a la de la pizza). A continuación, se agrega lo menos de prejuicio posible (para que la receta funcione debemos tratar de soltar el mundo de la palabra en el que estamos inmersos y abrazar el lenguaje no verbal del tarot, y así recibir sus beneficios) y se deja reposar por unos minutos (nuestro interior sabrá exactamente cuántos, en este proceso es fundamental confiar en nosotros mismos).

TAROT *magicomístico* DE ESTRELLAS (P&P)

Una vez la masa se haya inflado, se agrega con mucho cuidado el inconsciente (que es el responsable de responder la mayoría de las preguntas, pues el tarot no es otra cosa que una manera de acceder al inconsciente para tratar de trascender, no es otra cosa que un viaje a nuestra propia profundidad). Se añade en este punto la pregunta, que debe ser directa y concreta y no puede involucrar cosas como: averiguar secretos de las Kardashian, saber a ciencia cierta quién mató a J. F. Kennedy o cómo ser millonario sin tener que trabajar. Acá se añaden también las ganas de autoconocimiento y se licua por siete minutos.

Posteriormente, se agregan las proyecciones (es decir: la manera única en que vemos a personas, cosas o situaciones basados en nuestro propio acontecer vital interior), se añade sal, pimienta y arquetipos al gusto (por arquetipos entiéndase una representación simbólica de fuerzas instintivas que están instaladas en lo más hondo de todas las psiques humanas. Ejemplo: arquetipo de La Madre, El Loco, Los Enamorados).

Finalmente, saboree y disfrute los pensamientos, intuiciones, sentimientos, sensaciones y respuestas que se le vengan a la cabeza cuando tenga las cartas en sus manos.

Sírvase en un lugar íntimo con una copa de vino/ leche de chocolate fría.

Salud.

//CUATRO

¿ CÓMO apr

AL TAROT?

oximarse

Por más que nos liberemos de temores y por más que desestigmaticemos el tarot de su mala fama de rito oscuro, es difícil empezar. Y en este viaje iniciático surgen una cantidad casi infinita de preguntas inevitables tipo: *¿cómo se leen las cartas? ¿Hay que memorizarse todos los significados de este libro? ¿Qué pasa si una carta me sale al revés? ¿Si me sale La Muerte significa que me voy a morir? ¿Si no puedo preguntar si me voy a ganar la lotería, entonces cuál es el punto de todo esto?*

El tarot es intimidante no sólo porque sentimos que no somos Walter Mercado y que no nacimos para esto, sino también porque intuimos que la inmensidad de interpretaciones posibles al momento de leer las cartas puede llevarnos a una vorágine de significados que de sólo pensarla da mareo y miedo, mucho miedo.

Pero no teman, para responder preguntas y sanar temores es exactamente para lo que está este libro.

PRIMERO LO primero

Antes de las respuestas, piensen en por qué tienen este libro/mazo en sus manos, y en lugar de elucubrar sobre todas las dudas que surgen, consideren los beneficios que va a traer a sus vidas. Por ejemplo:

TAROT magicomístico DE ESTRELLAS (P&P)

- El uso del tarot ayuda a desarrollar la intuición y la confianza en nosotros mismos.
- Permite entrar en contacto con partes de nosotros que no conocíamos.
- Ayuda a cultivar la sinceridad emocional.
- Es un ejercicio que activa la creatividad, incluso puede ser usado al momento de escoger un personaje cuando se escribe, inspirarse para dibujar o ayudar a nombrar un edificio si usted es un arquitecto (personalmente siento que deberían existir menos edificios llamados Altos de San Juan y más edificios llamados Suma Sacerdotisa Reservado).
- En caso de mostrar talento excepcional, puede montar una pequeña o mediana empresa de lectura del tarot para jóvenes y adultos.

Sabiendo esto, es hora de dar los pasos iniciáticos:

PASO uno

Hora de tomar el tarot en las manos, de ir familiarizándose con los arcanos, con los colores, las imágenes y los símbolos. Recomiendo comprar un cuaderno que haga las veces de diario de tarot donde puedan anotar los pensamientos, sensaciones o sentimientos que cada carta les despierte.

PASO dos

Dibujen nuevamente cada arcano, estúdienlo, duerman con ellos (eso hacía Jodorowsky), comparen la interpretación que venga a sus mentes con lo que dice la **Guía para interpretar el tarot como un experto sin tener que serlo**, que encontrarán más adelante. No se olviden nunca de que esto es precisamente una guía que los va a llevar de la mano para no ahogarse en el mar de las múltiples interpretaciones, pero la idea es que después de estudiar y practicar, ustedes hagan sus propias lecturas.

Mejor dicho, piensen en este libro como la bicicleta con rueditas del mundo del tarot. Algún día esas rueditas se van y no vuelven nunca, y por más que pasemos años sin subirnos a una bicicleta, siempre que tenemos la oportunidad de hacerlo sabemos exactamente cómo funciona.

PASO tres

Los profesionales andan con su tarot en una caja o bolsa especial, esto ayuda a mantener alejadas las malas energías de sus cartas. Recomiendan usar bolsas de terciopelo, pero a mí personalmente no me gustan, así que guardo las mías envueltas en una camiseta vieja de un concierto de Alanis Morissette.

No importa lo que escojan para cuidar y guardar sus mazos, lo importante es mantenerlos rodeados de buenas intenciones y buena energía. Si piensan que eso de las energías es mentira, pongan sus cartas cerca de un gato, ellos sí creen en esas cosas. Si no tienen gato, no sé qué más decirles... Buena suerte, supongo.

PASO cuatro

Antes de comenzar a leer las cartas, es bueno hacer un ritual para relajarse, para aproximarse a los arcanos desde la honestidad, para limpiar la mente. Pueden ser rituales tipo Whoopi Goldberg en *Ghost*, es decir, vestirse de morado, bajar la intensidad de la luz del cuarto, traer cuarzos a la mesa, prender incienso y/o encender velas. A mí me gusta simplemente cerrar la puerta del cuarto, decir una oración de apertura que una vez le oí a la señora que me hacía sanación pránica (y que cargo conmigo como un mantra desde entonces), que consiste en afirmar algo y después repetir las frases: que así sea, que así sea, que así sea. Así es, así es, así es. Amén. Al fondo pongo música suave, me gusta por ejemplo oír *Across the Universe* de Fiona Apple. Ustedes definen su propio ritual, pero es fundamental que hagan uno.

PASO cinco

Lo obvio: barajen las cartas como puedan o como más les guste. Yo soy una persona que carece de la motricidad necesaria para barajar cartas como lo hace la gente decente, es decir, dividiendo el mazo en dos y mezclándolo en uno de los extremos con la ayuda de los dedos pulgares. Yo simplemente las pongo sobre la mesa/cama y revuelvo y revuelvo y revuelvo como una niña pequeña haría con unos dominós, cualquier método es válido. Lo importante de barajar es que allí es fundamental aquello de la sincronicidad, el azar y permitir que las cartas sean las que nos hablen.

PASO *seis*

Hagan una pregunta. Para saber qué preguntar y qué no o cómo hacerlo, ver **Guía de preguntas viables e inviables para el tarot** en la página 50.

PASO *siete*

Después de escoger la primera carta, pónganla boca arriba y listo: déjense sorprender. Recuerden siempre, al momento de escoger y leer sus cartas, olvidarse de los prejuicios y las proyecciones. Ejemplo: "Oh, qué desgracia, me salió El Mago, que es Kim Kardashian y yo odio a Kim Kardashian".

Amigo, amiga, NO. Procuren siempre atender su intuición y aceptar las asociaciones libres de prejuicios que vengan a la mente.

Y esto es sólo el comienzo. Al final de este libro encontrarán una explicación más profunda de cómo interpretar y leer las cartas o cómo hacer tiradas (como se les conoce a las distintas maneras de escoger y disponer las cartas) para diferentes situaciones/casos/ necesidades.

Respuestas A CASI TODAS ESAS PREGUNTAS INEVITABLES QUE SURGEN antes de COMENZAR EL VIAJE INICIÁTICO del tarot

P: **¿Cómo se leen las cartas?**
R: Ver penúltimo capítulo de este libro.

P: **¿Hay que memorizarse todos los significados de este libro?**
R: No memorizar, pero sí interiorizar.

P: **¿Qué pasa si una carta me sale al revés?**
R: No es el fin del mundo, tranquilos. Las cartas al revés tienen muchos significados que no necesariamente son negativos. Para más información, ver penúltimo capítulo de este libro.

P: **¿Si me sale La Muerte significa que me voy a morir?**
R: NO, nadie jamás se ha muerto después de que le salga la carta de La Muerte que no se llama la carta de La Muerte sino El Arcano sin nombre (para más información, ver página 114).

P: **Si no puedo preguntar si me voy a ganar la lotería, ¿entonces cuál es el punto de todo esto?**
R: No lo sé, en el fondo comparto su decepción, todos deberíamos ganarnos la lotería para comprarles casas grandes a nuestras madres. Eso no es felicidad, pero verlas felices sí lo es.

GUÍA DE

VIABLES E

PARA EL

tarot

preguntas

INVIABLES

Como ya han leído un promedio de 777 veces en este libro, el tarot es una poderosa
herramienta de autoconocimiento y por
esto, para usarlo, no es necesario hacer una
pregunta **específica**, sino que podemos
simplemente optar por caminos en los cuales el mismo tarot nos muestre cosas que en
apariencia parecen al azar, pero que resul-
tan útiles para responder a circunstancias
concretas de nuestra vida.

Mi mamá, que seguramente está leyendo este libro[1], al pasar por el párrafo anterior sin duda pensó: "¿VOJOSBOBA?". Lo que traduce del caleño: 1. Para qué se puso a decir eso, si a la gente lo que le interesa es preguntar cosas específicas cuando se lee las cartas. 2. Pudiste haber escrito ese párrafo mejor.

No, no soy boba. Sé que están acá porque quieren saber si el amor de sus vidas va a llegar este año, si su jefe satánico por fin va a irse de la empresa o si su ex piensa en ustedes cada vez que suena ESA canción de Selena Gómez (porque ustedes sí lo/la piensan, pero antes de que gasten energía haciendo esa pregunta, les digo: la respuesta es NO). Pueden escoger usar este tarot para eso o para lo del autoconocimiento, sin embargo, les recomiendo firmemente: ÚSENLO PARA LAS DOS.

---

1 Hola, mami, mira, ¡hice el tarot que prometí!

TAROT *magicomístico* DE ESTRELLAS (P&P)

Ahora bien, si quieren que el tarot les hable y que las respuestas sean acertadas, no pueden preguntar cualquier cosa de cualquier manera, esto —como bailar merengue estando borracho— tiene su magia[2].

Cuando vayan a hacerle una pregunta al tarot tengan en mente lo siguiente, tatúenselo en la parte de atrás del párpado si pueden:

🐚 Intenten que sea una pregunta abierta, pues así es posible llegar a respuestas que exploran diferentes opciones y posibilidades que dialogan con su situación de vida actual.

---

2 Si ese chiste no tiene sentido es porque no tomo alcohol nunca en mi vida, sin embargo, me siento estúpidamente tentada a hacer chistes de borrachos. ¿Por qué? No sé. Intentaría preguntárselo al tarot, pero este es un gran ejemplo de pregunta que no debe hacerse nunca. Adiós, adiós.

TAROT *magicomístico* DE ESTRELLAS (P&P)

- No hagan siete preguntas al mismo tiempo, esto no funciona así.

- No hagan preguntas negativas (esto creo que no lo tengo que explicar).

- No pregunten por las desdichas de su ex (aunque sea tentador) .

- Aunque la pregunta sea abierta, procuren formularla con detalles para que las respuestas tengan mayor dirección.

- No hagan preguntas que les permitan librarse de responsabilidad en una situación.

- Una vez tengan clara su pregunta, escríbanla en su diario de tarot. Esto es útil porque es muy fácil acomodar las respuestas a nuestro antojo para que nos favorezcan. Tener la pregunta escrita asegura que la lectura sea más transparente.

A continuación, algunos ejemplos de preguntas viables e inviables:

> SÍ: ¿Qué necesito saber de... ?
> NO: Mi novio está en una relación parale-
la con esa niña a la que le dio *like* un día en
Instagram hace siete semanas, ¿cierto?

> SÍ: ¿Qué camino debo recorrer para... ?
> NO: ¿En más o menos cuántos años se
me va a hacer realidad el sueño de ser
el/la mejor ilustrador/a del planeta? Lo
pregunto para saber cuándo ponerme a
dibujar porque ahora mismo estoy muy
ocupado/a gastando mis días viendo Netflix y comiendo en la cama.

> SÍ: ¿Cuál es la mejor manera y cómo
puedo superar... ?
> NO: ¿Si compro un pasaje a la India voy a
superar a Pepita/Fulanito?

> SÍ: ¿Cuál es el potencial de... ?
> NO: Conocí a Pedro ayer por Tinder, ¿es
el hombre de mi vida?

> SÍ: ¿Cómo puedo mejorar mi habilidad para... ?
> NO: ¿Qué número de Melate tengo que comprar para hacerme millonario/a?

> SÍ: ¿Qué necesito cambiar para poder... ?
> NO: ¿Por qué el dios del amor me odia?

> SÍ: ¿Cuál es el papel que tengo en la vida de X, o en X situación?
> NO: ¿Mi ex me odia?

TAROT *magicomístico* DE ESTRELLAS (P&P)

CONFÍA EN
TU intuición

los

ARCA

MAYO

NOS

RES

·EL LOCO·

//STEVE JOBS//

El Loco
Steve Jobs

El Loco, así como Steve Jobs, está por fuera del sistema y por eso no tiene un número
asignado, representa el arcano cero. El Loco
habla de locuras tipo: *Hacer tu propia empresa para que te echen de la misma porque
tomaste decisiones demasiado "arriesgadas"
y entonces no queda otra opción sino formar
una nueva empresa (que la saca del estadio
porque, aunque todos creen que eres un de-
mente que no sabe a dónde va o qué hace con
su vida, en el fondo eres muuuuy sabio).*

También habla, simplemente, de locuras no
geniales (como la invención del Pippin, una
consola de juegos tan ninguneada por la historia que ninguno de ustedes sabe de qué
estoy hablando), de locuras irresponsables,
habla de viajes, de aventuras, de inconscien-
cia. Habla sobre caos, sobre energía original, sobre ser un eterno viajero que va por el

mundo sin esperar nada de nadie y sin dar mucho tampoco.

Cuando salga este arcano piensen en Steve Jobs y en su obsesión con el diseño y los iPhone. Esta carta representa ganas de estar siempre en movimiento, de crear, de confiar en uno mismo, de ampliar los límites, de querer ir más lejos: con pensamientos, con ideas, con sentimientos o con el precio de los celulares.

El Loco es también un optimista irremediable, un idealista, alguien que no necesariamente sabe a dónde ir.

Aporta energía si se dirige a una carta e implica liberación y huida si se aleja de otra.

TAROT magicomístico DE ESTRELLAS (POP)

los
ARCANOS
MAYORES

PALABRAS clave

+ Aventura
+ Creatividad
+ Confianza absoluta en el instinto
+ Búsqueda personal
+ Indiferencia por la realidad
+ Energía original
+ Darle fuerza a un nuevo proyecto
+ Liberación sexual o emocional
+ Locura
+ Impulso
+ Capricho

I

-EL MAGO-
//KIM KARDASHIAN//

El Mago
Kim Kardashian

El Mago encarna el arquetipo de la alquimia, el poder de materializar, esa antigua noción de un personaje que está en una eterna búsqueda de los elementos con los cuales hacer magia (traducida en valor, es decir oro); algo o alguien parecido a Melquíades de *Cien años de soledad*, de Gabriel García Márquez.

Y si bien cuando pensamos en Kim Kardashian definitivamente no se nos viene a la mente *Cien años de soledad*, no existe hoy en el mundo alguien tan prolífico a la hora de materializar como ella. Pensemos en El Mago también como alguien que entretiene, una persona que nos vende ilusiones que disfrutamos, aunque sepamos que esas ilusiones son falsas (basta ver esas conversaciones "casuales" en *Keeping Up with the Kardashians* para saber de qué hablo).

Muchos piensan en El Mago como alguien que nos engaña de frente, otros como alguien que sabe divertirnos: El Mago es las dos cosas.

Este arcano habla de triunfos comerciales, de creatividad en las relaciones, del increíble talento de saber hacer malabares en cualquier situación, de hacer "magia" en la vida real (ejemplo: ser capaz de hacerse millonario "haciendo nada"). Habla también de la comunicación eficaz (como Kim, reina de las redes sociales), de la capacidad de expresión, de ser consciente del potencial propio.

El Mago es como El Loco, pero con un camino trazado, con una meta. Sin embargo, cuando este aparece invita a la búsqueda de humildad, a aceptar que no nos las sabemos todas, que el conocimiento no lo es todo y que es importante la intuición, saber oírse a uno mismo y no caer en el autoengaño.

PALABRAS clave

👁

+ Aprender a cuidarse
+ Persuasión
+ Aceptación de potencial ignorado
+ Salir del clóset de uno mismo
+ Materialización
+ Se tiene todo lo necesario para actuar
+ Comienzo
+ Cosas ocultas
+ Inicio de una relación
+ Talentos múltiples
+ Comienzo de una búsqueda
+ Triunfo

~SUMA SACERDOTISA~
// OPRAH //

La Suma Sacerdotisa
Oprah Winfrey

Todo lo que les viene a la mente cuando piensan en Oprah es exactamente todo lo que este arcano representa. La Suma Sacerdotisa es el arquetipo del poder femenino, de la fuerza, de la intuición.

No es casualidad que sintamos que Oprah todo lo puede, todo lo cura, todo lo soporta. Su poder no recae solamente en su inteligencia, carisma, sabiduría a la hora de hacer negocios o capacidad para regalarle carros a todo el que vaya a su programa (que es, a propósito, mi más grande sueño). Su poder está en el hecho de que ella cree y ha creído siempre en su intuición femenina, sabe que su mayor fuerza es precisamente ser mujer, y como mujer ha construido un imperio a punta de **persistencia, paciencia y amor.**

La Suma Sacerdotisa Oprah habla de una fuerza femenina que es milenaria e infinitamente poderosa, habla de revelación de secretos, de aprender a mirar la vida con el ojo interior para ir más allá del velo de la ilusión. Habla de secretos, de misterios, de sentimientos ocultos.

Si aparece Oprah en su presente significa: pónganse las pilas, crean en su intuición, desarrollen su potencial y dejen de gastarse la vida viendo memes. Si aparece en el pasado significa: la solución para algo en el futuro está en recordar. Si aparece en el futuro: serán MEGAMILLONARIOS. Mentiras, significa que un secreto les será revelado.

PALABRAS clave

- Confianza en la intuición
- Hora de sacar a relucir tu Oprah interior
- Acumulación
- Carisma
- Obstinación
- Energía sanadora
- Buscar significados más allá de lo evidente
- Talentos en desarrollo
- Poder femenino
- Potencial que no está siendo utilizado
- Constancia
- Sabiduría

· LA EMPERATRIZ ·

// BEYONCÉ //

La Emperatriz
Beyoncé

Si La Suma Sacerdotisa y La Emperatriz fueran dos amigas *millennials*, la primera sería esa amiga sabia que entiende lo que les pasa sin que tengan que decírselo y que además puede o no tener una tendencia a gastar la mitad de su sueldo en tiendas esotéricas para acceder a secretos no revelados. La segunda sería esa misma amiga, pero vestida de Gucci y con una florida afición por el dorado.

Como Beyoncé.

En este instante piensen en Beyoncé en *Drunk in Love*, en Beyoncé en la foto de su segundo embarazo rodeada de flores de todos los colores, en Beyoncé en *Rocket*. La Emperatriz es la suma de todo lo que ahí ven, es decir: de sensualidad, creatividad, abundancia, extravagancia, lujos, belleza, arte.

NOTA: no estoy exagerando, esto no lo estoy escribiendo desde mi profundo y desmedido amor por Beyoncé. La Emperatriz en verdad es todo esto.

Cuando aparece La Emperatriz en una tirada puede hablar de aspectos creativos, de profundizar en nuestro lado sexual, de lograr la armonía en una relación importante, o de tomar consciencia de nuestra naturaleza instintiva.

TAROT *magicomístico* DE ESTRELLAS (POP)

PALABRAS clave

+ Poder de la maternidad
+ Mujer muy guapa
+ Fertilidad
+ Vida de lujo
+ Compasión
+ Abundancia
+ Fertilidad
+ Armonía en la vida en general
+ Creatividad
+ Encanto
+ Autoindulgencia
+ Celos
+ Sensualidad
+ Figura materna

IV

· EL EMPERADOR·
//HILLARY CLINTON//

El Emperador
Hillary Clinton

Si La Emperatriz representa la maternidad, El Emperador representa la paternidad. Sí, eso significa que estoy pidiéndoles que piensen en Hillary Clinton como una figura paterna, lo cual en realidad no es tan loco. Yo en el fondo de mi corazón quisiera que me adoptara.

Hillary y la carta de El Emperador, como muchas figuras paternas (no la mía, pero este no es momento para hablar de mi papá, aunque resulte tentador) representan estabilidad, seguridad, racionalidad, persona-a-la-que-le-haces-ojitos-y-te-regala-un-iPhone-si-te-has-portado-bien y poder.

Esta carta es sumamente poderosa (como los padres, *#daddyissues*), pues encarna el número cuatro que a través de la historia ha tenido

un papel decisivo como factor de orden terrenal y celeste. Existen, por ejemplo, cuatro estaciones, hay cuatro direcciones en
una brújula, las paredes de los cuartos que
nos contienen emocionalmente tienen cuatro lados, existen cuatro fases de la Luna,
hay cuatro elementos en la Tierra, así como
existen cuatro virtudes cardinales que son
la fortaleza, la justicia, la templanza y la pru-
dencia.

El cuatro simboliza la plenitud. Algo así como
lo que se supone que debía sentir Hillary
en este mismo momento de no ser por los
cuatro rusos que con cuatro computadores
hackearon las elecciones estadounidenses.

PALABRAS clave

- **+** Dinero
- † Autoridad
- † Figura paterna
- **+** Liderazgo
- **+** Estabilidad económica
- † Pensamiento dogmático
- † Caos ordenado (como Hillary paseando por el bosque después de perder las elecciones)
- **+** Seguridad
- **+** Hogar estable
- † Estabilidad en relaciones amorosas
- † Equilibrio
- **+** Jefe

~SUMO SACERDOTE~

// JUAN GABRIEL //

El Sumo Sacerdote
Juan Gabriel

Sólo una persona que ha cantado *Hasta que te conocí* a todo pulmón mientras llora desesperadamente e intenta no broncoaspirar con mocos mientras lo hace entiende que Juan Gabriel es un enviado de Dios en la Tierra. Algo así como El Papa, es decir, El Sumo Sacerdote. Y ya. Con eso todo queda dicho.

Mentiras, no. Mentiras, sí, pero estamos aprendiendo a usar el tarot, así que acá van otros significados de este arcano: El Sumo Sacerdote Juan Gabriel es un mediador, un maestro, un gurú (para entender mejor esto recomiendo ver esa entrevista en la que le preguntan si es gay, a lo que él responde: "Lo que se ve, no se pregunta"). Alguien que es divino, pero a la vez humano. La encarnación de cosas como: el dominio de uno mismo, la sapiencia al actuar, la calma al decidir. Por esas razones, cuando aparece esta carta suele pensarse en medios de comunicación, en bodas, en capacidad de adaptación a nuevas situaciones, en ceremonias tradicionales, en **santidad**.

El Sumo Sacerdote une el poder divino femenino de La Emperatriz Beyoncé, con el poder racional de El Emperador Hillary Clinton para convertirse en un sabio maestro.

TAROT *magicomístico* DE ESTRELLAS (POP)

PALABRAS *clave*

+ Ejemplo a seguir
+ #AnimalDePoder
+ Enseñanza
+ Un nuevo ideal
+ Unión emocional
+ Respeto
+ Aceptación
+ Disciplina
+ Profesor
+ Comunicación
+ Guiar
+ Presión de personas a tu alrededor

VI

- LOS ENAMORADOS -
// PORTIA Y ELLEN //

Los Enamorados
Portia de Rossi y Ellen DeGeneres

Bueno, de una vez les digo: no se emocionen. Esta carta **NO necesariamente** significa que se van a casar, que van a conseguir novio por Tinder, que la persona con la que están es el amor de sus vidas y mucho menos que son lesbianas (ya quisieran, yo sé. Nota: eso es un chiste, por si alguien no lo entendió. Esto no es ideología de género).

El arcano número VI, Los Enamorados, acá representados por Ellen DeGeneres y Portia de Rossi, tiene un significado mucho más profundo y complejo que solamente amor. Si algo nos invita a pensar esta icónica pareja es: ¿por qué yo no tengo un amor así? Mentiras, no (ya, prometo no decir más mentiras, lo siento), pero sí nos hace preguntarnos: ¿qué es verdaderamente el amor? ¿Qué valor le doy en mi vida? ¿Qué tipo de relación quiero conmigo o con otros?

Los Enamorados es una carta ambigua (como la manera de vestir de Ellen). Claro que puede hablar de enamoramiento, de atracción por otra persona (a lo mejor alguien casado, o los casados son ustedes), de deseo romántico, de ganas de que suceda pronto una unión. Pero también habla de las responsabilidades que el amor trae consigo, habla de posibles tentaciones en el amor, de elegir entre dos personas, de un posible conflicto emocional.

Sepan siempre que lo más importante de este arcano es que nos invita a preguntarnos por el amor propio, a resignificar el amor romántico en nuestras vidas.

TAROT magicomístico DE ESTRELLAS (PgP)

PALABRAS clave

+ Elección
+ Amor consciente
+ Triángulo amoroso
+ Encrucijada afectiva
+ Armonía sexual
+ Enamoramiento
+ Disfrute total con la ocupación
  profesional o desarrollo
  personal actual
+ Alegría
+ Sensación de estar completo
+ Compromiso
+ Tentación

VII

~EL CARRO~
//SHAKIRA//

El Carro
Shakira

Puede que les guste Shakira o puede que no, pero si existe alguien en el mundo que haya sabido moverse por los caminos de la vida (ha cantado casi todos los géneros musicales), de las emociones (ha pasado por pésimas situaciones afectivas), de los negocios (esto es un dato inventado: pero casi vende más perfumes que Cartier), es ella.

El Carro habla de motivación y fuerza de voluntad **GRANDES** (no como las de nosotros los mortales que por motivación entendemos pararnos de la cama e ir a la oficina en vez de quedarnos viendo Netflix, porque eso es lo que realmente quisiéramos hacer *ad infinitum*). Habla de un punto en la vida donde se toman decisiones sin miedo y sin preocupaciones por lo que digan u opinen los demás (como dejar al baboso de De la Rúa en Miami e irse con Piqué a España). Habla de superación de obstáculos, de ser capaces de conseguir lo que se desea, de tener éxito en cualquier proyecto que se propongan (ya sea vender camisetas o cantar el *Waka Waka*).

Este arcano representa, por supuesto, movimiento y viajes que pueden ser mentales o físicos. Representa también el dictamen de que es momento de tomar las riendas de un asunto, de ponerse en el asiento del conductor, de que, como lo ha hecho muchas veces Shakira: es hora de darse cuenta de que SÓLO USTEDES PUEDEN HACER REALIDAD SUS SUEÑOS. SÓLO USTEDES SON LOS DIRECTORES DE SU PROPIA VIDA y es hora de demostrar cuánto realmente valen.

PALABRAS clave

+ Autocontrol
+ Sentirse arrastrado
  en direcciones opuestas
+ Éxito
+ Viajes de todo tipo
+ Honradez
+ Deseo de ganar
+ Perseverancia
+ Exceso de control por su parte
  o de alguien más en su vida
+ Victoria
+ Dinamismo
+ Furor en los medios
  de comunicación
+ Deseo desmedido

VIII

· LA JUSTICIA ·
//MALALA YOUSAFZAI//

La Justicia
Malala Yousafzai

Breve recuento histórico: Malala tiene veinte años. Cuando tenía quince, un miembro del régimen talibán le disparó en la cara por promover la educación para las mujeres en su país, Pakistán. No lograron silenciarla. Hoy es una de las activistas más importantes por los derechos humanos y la educación de las mujeres, así como la ganadora más joven en la historia de un Premio Nobel de la Paz.

Dicho eso, Malala encarna el arcano de La Justicia que habla de igualdad, de armonía, de no ser castigador, de tomar decisiones desde la cabeza y no desde el furor de la emoción.

Como Malala, este arcano invita a la unidad que se puede ver (o de pronto no, porque no soy una experta dibujante) en el símbolo que está haciendo con su mano izquierda más conocido como **mudra**, un gesto sagrado representado por la unión de los cuatro dedos y el pulgar, que simboliza las cuatro instancias del ser humano: deseos, necesidades corporales, pensamientos y emociones.

Hablando de ser experta dibujante, cuando esta carta sale en una tirada representa también la capacidad para reconocer errores que no nos gusta mirar de frente y tener el valor de aceptarlos. La Justicia invita a la introspección, a no caer en el perfeccionismo, a buscar el equilibrio en la vida, pero, sobre todo, a hacernos justicia a nosotros mismos y a darnos lo que REALMENTE nos merecemos. Suena fácil, pero se los juro por Malala que no lo es.

TAROT magicomístico DE ESTRELLAS (P♀P)

PALABRAS *clave*

- ✝ Armonía
- ✝ Estar presente en el aquí y el ahora
- ✝ Causa y efecto
- ✝ Igualdad
- ✝ Dar(se) lo que se merece (en palabras exactas de Marianne Costa y Alejandro Jodorowsky)
- ✝ Figura maternal muy exigente
- ✝ Embarazo
- ✝ Estabilidad
- ✝ Actitud racional hacia una situación
- ✝ Sinceridad
- ✝ Asumir responsabilidad de actos propios
- ✝ El amor que te mereces
- ✝ Problemas legales
- ✝ Pago de deudas

IX

-EL ERMITAÑO-
//J.D.SALINGER//

El Ermitaño
J. D. Salinger

J. D. Salinger escribió *El guardián entre el centeno* y, literalmente, enloqueció. Después de convertiste en un *bestseller* internacional y un fenómeno literario, decidió retirarse para siempre del mundo y se fue a vivir en un pueblo olvidado de los Estados Unidos, recluido en su casa hasta el día de su muerte. (Y eso que no tuvo que lidiar con *trolls* de Twitter, ni con infinitas *selfies* con filtros de perrito).

El Ermitaño representa la soledad, la parte más reservada de nosotros. Representa también una crisis que es inminente, pero que no es necesariamente negativa. Algo así como la presencia de una sabiduría máxima y al mismo tiempo una crisis profunda. No lo sabemos porque nunca volvió a dar entrevistas, pero asumamos que Salinger fue inmensamente feliz en su casita de campo una vez sobrepasó sus dificultades.

Este arcano tiene en su mano una linterna que puede representar luz y conocimiento, la presencia de un camino que está alumbrado, o el acto de iluminar hacia el pasado para buscar en él sabiduría (como la que guardan las páginas de los libros de Salinger, a quien recomiendo mucho, en caso de que no lo hayan leído. Pero no se vayan a enloquecer con *El guardián entre el centeno*, como el asesino de John Lennon).

PALABRAS clave

- † Sabiduría
- † Ayuda de un maestro
- + Distanciamiento de una relación
- + Soledad
- † Desapego
- † Carga de conocimiento
- + **GHOSTING**
- + Búsqueda de sabiduría espiritual
- † Aceptar la crisis
- † Cambio profundo
- + Lugar secreto y oscuro
  dentro de uno mismo
- † Presencia de un hombre mayor

- LA RUEDA DE LA FORTUNA -

//MARÍA, LA DEL BARRIO//

Abrazar lo desconocido
La Rueda de la Fortuna
María, la del barrio

María es una joven recicladora llena de sueños, a quien se le muere su madrina cuando
cumple quince. Después de eso se va a trabajar como empleada doméstica a casa de
los De la Vega, una familia millonaria, donde conoce a Luis Fernando y se enamora.
Pero después aparece Soraya Montenegro
que finge un embarazo para quitarle a Luis
Fernando. Los dos se casan. Triste, María, la
del barrio (pero ahora en clases de etiqueta)
se mete con el hermano de Luis Fernando
(cuyo nombre nadie recuerda nunca) para
tratar de olvidarlo. Mientras sufre de un corazón roto está siendo envenenada a punta
de brujería por Calixta, la nana de Soraya,
que en realidad no es su nana sino su madre
biológica. (Cuando Soraya se entera de esto

intenta matarla, porque: OBVIO). Después pasan no sé cuántas más cosas, todas igual de cruentas. En un giro favorable, María, la del barrio, se casa con Luis Fernando y deja de ser pobre para volverse millonaria. Queda embarazada, pero se vuelve loca, comienza a divagar por las calles y regala a su hijo Nandito. No sé cuánto tiempo después... ¡SOPRESA!: María ya no está loca y busca a su hijo que, un día, de la nada, llega CASUALMENTE a su casa porque lo atrapan tratando de robar medicinas para su madre (de mentiras). Reaparece Soraya Montenegro que milagrosamente sobrevivió a una caída de un quinto piso. Comienza a "malditalisear" a todo taco a Alicia, la novia de Nandito (han pasado como veinte años). El final no lo voy a contar, pero los buenos son felices y los malos no.

¿Cuál es la moraleja que les queda de todo esto?

Si respondieron que María, la del barrio, se parece mucho a la vida: ESTÁN EN LO CORRECTO. ¿En qué sentido? Como diría la sabia filósofa Marbelle, en que "sube que baja, que vuelve a subir, ¿a dónde irán los muertos?, ¿quién sabe a dónde irán?". Lo de los muertos no lo sabemos, pero lo de los altibajos de la vida sí, y... ¡Chachán!: es precisamente eso lo que representa esta carta.

Así como sucede en María, la del barrio, este arcano habla de la permanencia, del hecho de que lo único constante en la vida es el cambio, de que NADA es para siempre, de que la suerte y la oportunidad existen, pero son buenas o malas dependiendo de las decisiones que tomemos en nuestras vidas (por ejemplo, "malditalisear" a otros no es una buena decisión).

La Rueda de la Fortuna, el arcano X, no entiende por fortuna una cantidad infinita de dinero, sino que más bien habla del destino y de cómo nos relacionamos con él. Nos invita a hacernos responsables de nuestros actos (no como Soraya Montenegro) y a tomar las riendas de nuestras vidas sin hacernos las víctimas.

TAROT magicomístico DE ESTRELLAS (POP)

PALABRAS clave

+ Enigma emocional (como el de
  la aparición misteriosa de Nandito)
+ Saber que el mundo no está
  en tu contra (como piensa María)
+ Principio, mitad o final de un ciclo
  (como el de la telenovela entera)
+ Acontecimientos imprevisibles
  (como la brujería de Calixta)
+ Suerte (como la de Soraya cuando
  sobrevivió a la caída)
+ Momento decisivo (como el primer
  matrimonio de Luis Fernando)
+ Ganancia de dinero
  (como el que consiguió María)
+ Oportunidad que abre puertas
  (se me acabaron los ejemplos)

~LA FUERZA~
// GLORIA TREVI //

La Fuerza
Gloria Trevi

Mi mantra de vida es: "Si Gloria Trevi pudo, yo puedo". Los que están familiarizados con su historia de vida entenderán la profunda sabiduría de esa frase. Los que no, sólo deben saber que, ahí donde la ven, Gloria Trevi ha bajado al infierno y ha vuelto como 777 veces en una sola vida.

El arcano de La Fuerza representa, precisamente, el poder de un comienzo creativo, de energía recargada, de una nueva vida (como la renacida carrera artística de la Trevi). Significa, más que fuerza mental, fuerza emocional para enfrentar retos, para perdonar antiguas rabias guardadas (como TODO lo que le hizo el PEOR novio/productor de la historia, Sergio Andrade, a quien ella ahora le dice EL INOMBRABLE), para obtener las cosas que se desean en la vida. Fuerza para manejar a amigos borrachos, fuerza para lidiar con novios/as de esos que hablan en cine, que te quitan el último bocado de pizza, que ocupan más de la mitad de la cama, que adelantan series de Netflix sin ti, fuerza para tolerar cadenas de WhatsApp.

Finalmente, esta carta en una tirada también puede hablar de defender convicciones con fuerza y gritar: **"Voy a traer el pelo suelto, voy a ser siempre como quiero, voy a olvidarme de complejos, a nadie voy a tener miedo, aunque me tachen de indecente, aunque hable mal de mí la gente: VOY A SER SIEMPRE COMO SOY".**

TAROT *magicomístico* DE ESTRELLAS (POP)

los
ARCANOS
MAYORES

PALABRAS clave

+ Creatividad
+ Corazón noble
+ Despertar sexual
+ Perdón y olvido
+ Tolerancia
+ Fuerza interior
+ Unión de mente e instinto
+ Aprendizaje
+ Necesidad de un consejo
+ Tomar control de la vida
+ Mirar a los ojos a la realidad
+ Sentir

XII

·EL COLGADO·
// BRITNEY (RAPADA) //

El Colgado
Britney (rapada)

El Colgado es un arcano misterioso, como la salud mental de Britney Spears en el 2007. ¿Qué estaba pensando cuando decidió raparse la cabeza? Nunca lo sabremos.

Intentaré resumir el complejo significado de esta carta diciendo lo siguiente: ante la aparición de una Britney calva ¿qué hay que hacer? TODO lo contrario a lo que esa Britney alterada del 2007 pensó que era bueno hacer (raparse..., etcétera).

Este arcano nos invita a hacer EXACTA-MENTE lo opuesto a lo que creemos que es correcto hacer. ¿Te parece gran idea irte a una alfombra roja con tu novio Justin Timberlake vestidos todos de jean? NO LO HAGAS. ¿Con ganas de agarrar un carro a sombrillazos? PIENSA DE NUEVO. ¿Estás convencida de que salir borracha con un bebé en una mano y un *frappuccino* en la otra es buena idea? OLVÍDALO.

El Colgado representa la paradoja de hacer movimientos contradictorios para encontrar lo que realmente estamos buscando o, como lo diría mi mamá, quedarse quieto en vez de ir corriendo detrás de algo que uno quiere con muchas ganas. A veces la mejor acción es la NO acción (que es lo que debió hacer Britney cuando comenzó a enloquecer y lo que la obligaron a hacer cuando se la llevaron amarrada a una camilla).

Pero calma, este arcano no habla de crisis en su sentido literal, habla más bien de desprenderse de cargas emocionales (como Kevin Federline), sobre abrir la mente ante una situación, o vivir en el presente y evitar estar anclados al pasado (*I'm not a girl, not yet a woman*), sobre liberación de dolores que cargamos con nosotros (como el de haber trabajado desde los dos años, por ejemplo). No es momento de actuar

TAR⊙T *magicomístico* DE ESTRELLAS (P♀P)

PALABRAS clave

- + Enfermedad
- + Transición
- + Paradoja
- + Situación de desánimo
- + frente a la vida
- + Sentirse estancado
  en una relación
- + Reposo
- + Hora de conocerse mejor
  a uno mismo
- + Cambio de mirada ante
  una situación/persona
- + Reajuste de prioridades

El Arcano sin nombre

Y con ustedes... ¡El Arcano sin nombre!, mal conocido como La Muerte, popular entre los vivos por andar vestida de negro, cargar con una hoz y "visitar" a personas a las que se quiere llevar. De todos los arcanos este es el más temido, pues es en el que proyectamos nuestro más grande miedo. Pero, POR FAVOR, nunca se tomen el sentido de esta carta de una manera literal, nadie morirá porque esta carta haya salido en una tirada, y si alguien muere pueden estar seguros de que fue por CUALQUIER otra cosa, pero no por la presencia de este arcano.

Cuando aparece El Arcano sin nombre es mejor no pensar en muerte sino en transición de un estado a otro, por eso esta carta es casi siempre positiva, porque representa **CAMBIO**. Y ante el cambio solemos tener dos posiciones: una positiva, en la cual estamos buscando movimiento, a lo mejor una mudanza, poder terminar una relación amorosa o laboral (momento de despedirse felizmente del amante aburrido o del jefe satánico) o embarcarnos en un viaje de transformación personal (lo que habrían pensado María, la del barrio, y Britney si esta carta les hubiera salido mientras estaban en el hoyo). Y otra negativa: donde le tenemos tanto miedo al cambio que nos bloqueamos, que nos quedamos en lugares tóxicos por más tiempo de lo debido, que tememos movernos de donde estamos porque creemos que lo conocido es mejor que lo que está por fuera de nuestra zona de confort (lo que debió pensar Soraya Montenegro cuando entendió que ya era hora de salir de la casa de los De la Vega).

El Arcano sin nombre, al significar **TRANSFORMACIÓN**, les concede a quienes están buscando la materialización de un cambio, y a quienes le temen, los invita a eliminar el miedo, dejar atrás aquello que no está permitiendo avanzar.

Cuando aparece en una tirada, esta carta también puede representar el fin de un ciclo, una puerta que se cierra pero otra que se abre, el momento de una reinvención personal y espiritual, la necesidad de dejar ir algo o a alguien, una invitación a soltar ira o energía negativa que ha sido acumulada.

PALABRAS clave

+ *Scary Movie*
+ Finales
+ Rayos X (estoy hablando en serio)
+ Desilusión (que quiere decir: fin de una ilusión)
+ Rendición ante lo inevitable
+ Transformación profunda
+ Ruptura
+ Agresividad
+ Cambio necesario

XIV

~LA TEMPLANZA~

// BARACK OBAMA //

La Templanza
Barack Obama

Si este arcano ha salido en su tirada, felicitaciones, están siendo buenos presidentes de sus propias vidas.

La Templanza es como Obama, carismático, armonioso, buena gente, tiene buen sentido del humor y por encima de todo: es **MODERADO**. Este arcano destaca la importancia de actuar desde el centro y ser medido, de tener autocontrol, pensar bien las cosas, ser discreto.

Cuando aparezca este arcano adopten el lema "¿QUÉ HARÍA OBAMA EN ESTA SITUACIÓN?" y úsenlo como mantra religioso.

Ejemplos:
¿Obama mandaría fotos desnudo a su amante virtual? NO.
¿Obama gastaría la mitad de su sueldo en esa camiseta o billetera o perfume caro que tanto siente que quiere? NO.

¿Obama buscaría el *e-mail* de un alto dirigente en la empresa de sus sueños y le mandaría su hoja de vida pero en versión rap? NO.

¿Ven? Funciona siempre. Pero ¿saben por qué funciona? Porque Obama, como el arcano de La Templanza, está tranquilo con lo que tiene, está en un momento de armonía entre sus deseos y sus necesidades, tiene todo lo que necesita. Y si acaso no está en ese lugar de la vida, porque digamos que estamos hablando de un Barack Obama joven, esta carta significa que eso llegará, que se alcanzarán los sueños y las metas, siempre y cuando se actúe con moderación.

Otras lecturas de esta carta incluyen: no intentar ser complacientes con media humanidad, a veces hay que tomar partido (cosa que muchos le criticaron a Obama). O: si suelen actuar desde el impulso y la autoindulgencia es hora de parar. No sean el Trump de sus propias vidas (que tuitea como si vomitara, casi sin pensar). Sean el Obama de su Twitter: hablen con elegancia, humor y moderación.

TAROT *magicomístico* DE ESTRELLAS (POP)

PALABRAS clave 👁

+ Equilibrio
+ Armonía
+ Compromiso
+ Buena influencia para otras personas
+ La clave del éxito es la moderación
+ Reconciliación
+ Protección
+ Comprensión
+ Calma
+ Confianza
+ Curación

XV

- EL DIABLO -
// MADONNA //

El Diablo
Madonna

Este es, probablemente, el segundo arcano más temido después de El Arcano sin nombre, sin embargo, no hay que ciscarse de miedo. La clave para entender a El Diablo se esconde detrás de las siguientes cuatro canciones de Madonna, así que sugiero echar mano de ellas mientras leen lo siguiente:

Madonna en *Material Girl*

El Diablo representa la tentación de lo material, el deseo de hacerse millonario, las probables ganas de irse detrás del dinero fácil para dejar atrás la vida de persona honrada, la falsa ilusión de que podemos hacer lo que hacen las Kardashian (es decir, ganar plata por respirar), cuando la realidad es que no lo podemos hacer. Si este arcano aparece en una tirada puede presagiar tanto fortuna como ruina, pero invita a revisar MUY bien el contrato (como seguramente hace Madonna).

Madonna en *Human Nature*

"*Express yourself, don't repress yourself*", dice la reina del pop. Este arcano nos habla de uno de los temas favoritos de Madonna: la sexualidad sin penas ni tapujos, sin miedos, sin reparos. Este arcano en una tirada puede hacer referencia a la sexualidad del consultante, a un deseo de unión sexual o a la dimensión sexual de una relación o situación. Sea como sea, recuerden vivirla siempre desde la fluidez TOTAL (como seguramente hace Madonna).

Madonna en *Celebration*

Un poco de celebración es necesaria, pero este arcano no habla de la fiesta medida, no habla de la fiesta que te deja con una cruda decente al día siguiente. El Diablo representa dependencias emocionales o psicológicas, y por lo tanto puede representar abuso de drogas, de sexo o de alcohol (¿como seguramente hace Madonna?...). Si ese es el caso, amigo, amiga: bájenle a su rumba. Si no lo es, puede que haga referencia a algo más profundo, pero igual de dañino, como el autocastigo, los patrones negativos que repetimos sin cesar en nuestras vidas (ejemplo: siempre salir con personas a las que les priva dejarlo a uno en visto) o los desórdenes alimenticios (esto seguramente no le pasa a Madonna).

Ya que El Diablo también representa nuestro inconsciente, la invitación no es a hacer juicios sino a buscar respuestas en nuestro yo más profundo para así poder sanar nuestras heridas, dejar adicciones o romper vicios. La sanación no viene con paños de agua tibia sino con trabajo duro.

Madonna en *Jump*

"Are you ready to jump?". Espero que sí, porque esta es una GRAN carta para lanzarse a cualquier empresa que esté basada en la creatividad. El Diablo en una tirada también puede representar **ABUNDANCIA**

de talento, **DERROCHE** de inspiración, **DESPILFARRO** de energía creativa (que sin duda Madonna tiene mucha).

Finalmente, si el arcano número XV tuviera un mantra de vida sería: "En la vida la realización consiste en ser como siempre ha sido Madonna, es decir, en **SER LO QUE SE ES**, sin miedo, sin tapujos, sin perdones.

los
ARCANOS
MAYORES

PALABRAS clave

+ Sexualidad
+ Aparición de amante
  en redes sociales
+ Materialismo
+ Tentación
+ Obsesión
+ Diablo interior
+ Oscuridad
+ Magia negra
+ Pasión
+ Fuerza del inconsciente
+ Apego
+ Encadenamiento

XVI

· LA TORRE ·
//FRIDA KAHLO//

La Torre
Frida Kahlo

Friducha era una adolescente feliz que iba
una tarde cualquiera en un camión (por camión quiero decir bus mexicano), el camión
chocó y una vara de metal entró por su ca-
dera izquierda y salió por su vagina.

Como ese accidente, este arcano nos habla
de un cambio inesperado que puede parecer
horrible, pero trae consigo una bendición
(como casi todo lo malo en la vida). Ahora,
el punto no está solamente en entender que
toda pequeña o inmensa tragedia trae una
enseñanza, sino que nos invita, como Frida,
a aprender a ajustarnos y adaptarnos a una
situación: *Si no se puede caminar por una
eternidad, pues tocará pintar acostada. Si
hay que usar yesos en la cintura por siempre, pues es mejor decorarlos y convertirlos
en arte. Si lo único que puedo ver postrada*

en una cama es a mí misma, pues sabré cómo dibujarme de memoria, no sólo a mí sino también a mi mundo interior.

Pero este arcano no siempre habla de algo negativo, puede ser simplemente cambio que trae consigo un gran alivio emocional, económico o espiritual. La Torre habla de algo que estaba encerrado y que encuentra una salida, pueden ser emociones que explotan, puede ser una separación, una mudanza, un cambio de suerte o un reto inesperado. Sea como sea, no se olviden nunca de ser como Frida: capaces de mirar cualquier reto a los ojos con valentía, pues siempre es mejor que quitarle la cara. Si la situación actual los empuja a reconstruir (una vida, una casa, a uno mismo), tómenlo como una oportunidad para crecer y alcanzar nuevos conocimientos sobre ustedes mismos o sobre una situación/persona.

TAROT *magicomístico* DE ESTRELLAS (P&P)

los
ARCANOS
MAYORES

PALABRAS clave

- **+** Revelación
- **+** Alguien te manda una captura de pantalla que te hace entender TODO
- **+** Caos a tu alrededor
- **+** Explosión de sentimientos reprimidos
- **+** Desbordamiento emocional
- **+** Acontecimiento inesperado
- **+** Advertencia sobre un peligro
- **+** Rechazo a ver las cosas como son
- **+** Adiós a lo viejo, bienvenido lo nuevo

~LA ESTRELLA~

//SOPHIE CALLE//

La Estrella
Sophie Calle

Antes de leer lo que este arcano representa, sigan los siguientes pasos:

1. Vayan a su computador/celular.
2. Abran Google. Si no tienen datos en el celular busquen el café más cercano, pidan una botella de agua y roben internet que para eso se inventaron los cafés.
3. Escriban Sophie Calle en la barra de búsqueda y den clic en el botón "Me siento con suerte".
4. De nada.

Este arcano se refiere a brillar con luz propia, como la artista conceptual francesa Sophie Calle. Para que se hagan una idea (y de paso tal vez se enamoren de su trabajo) diré que entre sus obras más famosas están:

1. *Cuídate mucho*: Calle recibe un *e-mail* donde su novio le termina. La última línea de ese correo es *"cuídate mucho"*. Sin saber qué hacer con esa información (yo tampoco lo sabría; que me terminen por *mail* es una de mis pesa-

dillas), decide entregar el correo a 107 mujeres (¡de nuevo el 7!) de todas las profesiones posibles —desde actrices, músicas, mimos, hasta raperas y editoras— para que interpreten o hagan algo con eso, ya que ella no pudo.

2. En un extenso reportaje que le hizo *The New York Times Magazine* a propósito de *Missing*, su gran retrospectiva presentada en Estados Unidos, la artista francesa aparece con una falsa barriga de embarazo. El proyecto: cansada de lidiar con la presión a favor de una maternidad que nunca encarnó, decidió fingir el embarazo de su gato y dar a luz a un peluche que lo representaba. Después de todo, tener un gato es (casi) como tener un hijo.

No soy crítica de arte, pero sin duda Calle es BASTANTE creativa, y La Estrella trata precisamente de eso. Cuando aparece este arcano en una tirada habla de suerte, de prosperidad, de abundancia, de inspiración, de realización creativa, de un momento en el que las ideas por fin se materializan para sacar adelante proyectos, ya sean creativos, profesionales o emocionales. Este arcano representa el punto más alto de la expresión personal (nomás miren a Calle y aprendan), y por eso debe ser recibido como un premio. Si han trabajado duro, si tienen confianza en su energía creadora, todo será maravilloso. Al aparecer en una tirada, La Estrella presagia éxito en todos los ámbitos de la vida (incluso para decirle al ex "cuídate tú, pendejo" o para que la crianza del gato peluche salga bien).

PALABRAS clave

+ Pronto llegará el día de su suerte
+ Amor de los sueños
+ Luz al final del túnel
+ Amor y confianza en uno mismo
+ Mamá, triunfé
+ Amor pleno y recíproco donde nadie se mira las conversaciones de WhatsApp en secreto
+ Inspiración
+ Creatividad
+ Motivación
+ Fertilidad

XVIII

-LA LUNA-

//SELENA QUINTANILLA//

La Luna
Selena Quintanilla

Siempre que me preguntan cuál es uno de mis sueños más grandes respondo: viajar al pasado para decirle a Selena que Yolanda Saldívar la va a matar en el cuarto de ese motel y así salvarle la vida y ser amigas para siempre.

La Luna es un arcano complejo como lo era Selena. Por un lado, ambas encarnan feminidad, fertilidad (no sólo en sentido literal, se puede hablar de fertilidad cuando se habla de creatividad también), de la relación con la madre; y por el otro, habla del lado oscuro de la Luna, de temores que no sabemos nombrar, de desasosiegos que se nos alojan en el pecho sin que sepamos explicar muy bien de dónde salen o para qué nos habitan (oír *Como la flor* con atención en este momento). Es decir, este arcano representa tanto aquello que nos da seguridad, como aquello que nos hace temer porque no lo entendemos o no lo vemos venir.

Y adivinen: ¿quién uso la estrategia de hacerse familiar para después atacar por la espalda? Pues han adivinado. Esta carta habla de lo que Selena quisiera haber sabido, es una advertencia de que algo o alguien no es necesariamente lo que aparenta.

Ahora, ningún arcano es negativo, es decir, si sale esta carta en una tirada, por el amor a Selena, no se vayan a enloquecer pensando que su mejor amiga/o les está quitando a su amor, que su compañero de trabajo les va a robar el puesto o que el dolor de cabeza que tienen es un aneurisma. Eso se llama paranoia (y es exactamente el lugar al cual mi mente iría), pero lo que este arcano les quiere decir es que hagan buen uso de su **INTUICIÓN**. Si algo huele mal, pues por algo debe ser, ¿no? (Yolanda Saldívar debe estar cerca, por ejemplo). Es mejor explorar nuestros miedos que evitarlos, y si dudan de ello les recomiendo leer el libro *Cosas que piensas cuando te muerdes las uñas* de mi autoría (PUBLICIDAD POLÍTICA PAGADA). Finalmente, Selena no es sólo su trágico desenlace, así que esta carta habla también de un buen amor como el de *Bidi Bidi Bom Bom*, de sueños, de poesía (de hecho, según Jodorowsky, este arcano es de gran augurio si son poetas, escritores, personas que hablan con los animales o si quieren leer el tarot, pues significa que están alineados con la receptividad que requiere su profesión).

PALABRAS clave

+ Confiar en la intuición
+ Autoengaño
+ Miedo
+ Engaño en una relación amorosa
  o de amistad
+ Negación a ver las cosas
  como realmente son
+ Confusión
+ Sueños que no son suficientemente
  realistas
+ Secreto
+ Angustia
+ Aprehensión

~ EL SOL ~
// I B E Y I //

El Sol
Ibeyi

Soundtrack de este texto: *Me voy* de Ibeyi.

Dos palabras: **ALMA GEMELA**. Ibeji en Nigeria. Ibeyi en Cuba. Ibi: dar a luz. Eji o Eyi: a dos. Ibeyi: Lisa-Kaindé y Naomi Díaz. Hermanas gemelas, músicas prolíficas, creativas exitosas.

Como en el caso de estas gemelas, El Sol es un arcano que representa el amor incondicional (como el sol mismo, que siempre está ahí para nosotros, día tras día). Esta es una carta que sólo carga cosas buenas (como lo que la música de Ibeyi nos hace sentir). Cuando aparece en una tirada, este arcano presagia éxito y realización en lo profesional, emocional, espiritual, material, sexual y básicamente todos los adjetivos especializados terminados en el sufijo –al que existan en la Tierra (menos realización pleural, esa sí que no).

El Sol trae consigo inminentes buenas noticias, se despide de dificultades que puedan haber tenido en el pasado, promete claridad absoluta con respecto a cualquier asunto, persona o situación que hayan tenido en mente a la hora de hacer una lectura, y trae mucha luz a sus vidas, lo cual significa que las dudas se disipan y que los miedos desaparecen (casi) para siempre (no tanto como para no comprar mi libro anterior. PUBLICIDAD POLÍTICA PAGADA).

Y lo mejor de todo, lo que llevan tanto tiempo esperando, lo que sus corazones secretamente anhelan: este arcano presagia la llegada, la materialización o la cristalización de un amor del bueno, que no se lo lleva el viento y que se lleva por dentro y que no se puede borrar. Así que a celebrar bailando Ibeyi. POR FIN.

Antes de irse a enloquecer de amor, recuerden que como todo tiene dos caras, nunca

es buena idea salir de casa sin protector so-
lar, y no es sabio olvidar que mucho sol que-
ma. Esto significa que mucha gloria puede
resultar en un egoísmo siniestro que nos
aleja de los que amamos. Cuidado.

PALABRAS clave

+ Confianza y seguridad en
  uno mismo
+ Creatividad
+ Alegría
+ Realización en el amor/ amistad
+ Placidez
+ Triunfo en un proyecto
+ Brillo
+ Ser el centro de atención
+ Vida nueva
+ Un amor que es recíproco
+ Éxito y felicidad
+ Aceptación

- EL JUICIO -
// DAVID BOWIE //

El Juicio
David Bowie

El Juicio suena a una carta miedosa. No lo es.
Este arcano, que condensa toda la energía del
tarot, aparece justo antes de El Mundo, que
es la concreción y materialización de todos
los deseos. Así que antes de premiarse a sí
mismos, lo más lógico es hacer una revisión
histórica de cómo se han portado para saber
si merecen ese premio. Mejor dicho, es el último paso antes de la realización absoluta.

Más que un juez castigador, El Juicio es un arcano increíblemente sabio, y por eso está representado por el mismísimo Bowie. Cuando
aparezca esta carta en una lectura, piensen en
ser honestos con ustedes mismos, en enfrentar las situaciones observando los hechos (así
duelan) en vez de evitar la realidad. Pero en
ese proceso es importante ser justos con ustedes mismos y con los demás; es vital tomar
decisiones, no desde el castigo sino desde el

reconocimiento de la humanidad de todos y, por ende, desde el perdón (a Bowie le perdonamos haber hecho un papel muy extraño en la extraña película ochentera *Laberinto*, incluso después de verlo lo queremos más). Este arcano invita a ser más nobles y generosos con nosotros mismos y con los que queremos. Todos cometemos errores y de nada sirve ser un loco castigador. ¿Se imaginan a David Bowie castigándose a sí mismo o a los demás sin compasión? No, ¿cierto? ¿Iría por ahí juzgándonos por nuestras ridículas *selfies* o por los vergonzosos estados de Facebook que a veces ponemos? ¡Jamás! ¿Nos miraría de reojo por procrastinar en Instagram? ¡Nunca! Entonces es hora de ser menos como nosotros y más como David Bowie.

En resumen, este arcano habla de asumir los errores con compasión y humildad, pero habla también de nuevos comienzos, de arrancar de cero y dejar todo lo malo atrás.

Por eso mismo nos invita a deshacernos de actitudes, patrones, personas o adicciones a internet, por ejemplo.

PALABRAS clave

+ Adiós, adiós, querido vicio
+ Liberación
+ Rendición de cuentas
+ Renacimiento
+ Año nuevo, vida nueva (más alegres los días serán)
+ Lo grande que es perdonar
+ No hagas alianzas con el dolor
+ Dejar culpas y culpables atrás
+ Aceptar las cosas por lo que son
+ Trascendencia
+ Transformación
+ Llamado

XXI

~EL MUNDO~

//MERYL STREEP//

El Mundo
Meryl Streep

Meryl sólo trae buenas noticias. Por eso El Mundo (la realización total) es un arcano supremamente positivo. Dentro de una tirada, habla de que se están sintiendo en un gran lugar con ustedes mismos, que están cómodos en su piel y son conscientes de su proceso de crecimiento, que disfrutan de sus talentos y están en paz con sus debilidades. Mejor dicho, están brillando como Meryl (¿no la vieron con ese vestido rojo y escotazo en los premios Oscar del 2018?).

El Mundo, en frases no cursis, representa: éxito en todos los ámbitos, expansión de horizontes, viajes, nuevos destinos positivos que pueden ser profesionales o emocionales, alcanzar las metas que se hayan trazado, cumplir ese sueño que tenían desde que eran chiquitos, ser los mejores en lo que hacen, atraer cosas buenas.

El Mundo, en una sola frase cursi, representa: QUE EL MUNDO ES SUYO DE LA MISMA MANERA EN LA QUE EL MUNDO ES DE MERYL STREEP (y eso, básicamente, es mejor que ganarse la lotería, si no, que lo digan sus veintiún candidaturas al Oscar).

Fin.

PALABRAS clave

TODO LO BUENO QUE SE LES OCURRA
EN EL MUNDO. TODO ESO ESCRÍBANLO
AQUÍ:

+
†
†
+
+
†
†
+
+
†
†
+

Su Arcano

No. Esta última carta en el mazo no es un error. No se nos olvidó imprimir nada y tampoco se nos fue una carta de más. Este es un arcano en blanco para ustedes y sobre todo POR ustedes. Úsenla en cualquiera de estas dos situaciones, o en ambas:

▽ SITUACIÓN A
ODIA A UNO DE LOS ARCANOS

Si bien la idea de este tarot es usar estrellas terrenales que encarnan arquetipos globales, es probable que alguno de los personajes acá dibujados les cause aversión, o no les genere gracia, o no sepan bien quién es, ni siquiera después de leerse tres artículos de Wikipedia. En teoría eso no debería ser una molestia, pues la gracia de los arcanos es precisamente recibirlos por lo que son, no generar relaciones amorosas o favoritismos desbordados con ninguna carta, ni desechar otra que no les guste o les genere desagrado. Pero ya que soy novata y flexible, los invito a utilizar esta carta para remplazar, si es su deseo, uno de los arcanos por otra estrella de su escogencia que les haga más amable su relación con el tarot. Eso sí, procuren que los arquetipos correspondan, sean fieles a sus características, no vayan a poner a Daddy Yankee o Maluma de Emperador o Sumo Sacerdote solamente porque su música los hace bailar o algo parecido.

SITUACIÓN B
QUIERE DIBUJAR UNO DE LOS
ARCANOS QUE YA EXISTEN

Como bien se explicó en uno de los capítulos anteriores, dibujar a los arcanos es una de las mejores maneras de estudiarlos e interiorizar su significado, así que usar esta carta para para practicar resulta ser un gran

TAROT magicomístico DE ESTRELLAS (P&P)

ejercicio, puede acercarlos de manera tan-
gible al tarot y ayudarlos a hacer fluir su
energía creativa e inconsciente. No sé qué
más decir. Espero que les quede lindo.

NOTA: para hacer su dibujo les recomiendo usar un Sharpie o cualquier otro
marcador indeleble negro (Sharpie no me
pagó por decir esto).

GUÍA PARA

el TAROT

experto

QUE

interpretar

COMO UN

SIN TENER

SERLO

ALGUNAS cosas QUE VALE LA PENA tener en CUENTA ANTES de hacer una TIRADA

▽ Recuerden activar su ojo interior, es con él con el que las lecturas del tarot que hagan cobrarán un verdadero y poderoso sentido.

▽ Muchos piensan que leerse las cartas a uno mismo es muy difícil, pues existe siempre la tendencia a hacer lecturas que resulten favorecedoras. Otros dicen que es necesario saber hacerlo primero en soledad antes de atender a un consultante. A continuación encontrarán unas tiradas que les permitirán practicar en soledad o en compañía, pero, sea cual sea su preferencia, NUNCA olviden dejar que las cartas hablen por sí mismas. No intenten usarlas como excusa para decirle a alguien algo que piensan o para convencerse a ustedes mismos de una mentira. Recuerden que el éxito de una lectura está en no proyectar sobre los arcanos, es decir: si están leyéndole las cartas a su mejor amigo y aparece El Sol, que les parece la carta más increíble del planeta, no lleven la lectura al lugar que a ustedes les gustaría, piensen bien cuál fue la pregunta y cómo el arcano responde ante esa situación específica.

▽ **Buen momento para repetir que ningún arcano es bueno o malo, los arcanos sencillamente SON.**

▽ Antes de una lectura, procuren estar en un lugar de calma donde no haya mucha o ninguna interrupción. Saquen su cuaderno, hagan y escriban la pregunta y saquen del bolsillo su intuición, esta es fundamental siempre, sobre todo mientras están familiarizándose con el significado de cada arcano. Si la intuición sincera los lleva a escoger una de las palabras clave o sentidos de una carta, no duden de ustedes mismos, estén seguros de que la cosa sí va por ahí.

♦ La práctica hace al maestro. Escríbanse esa frase con pluma en el dorso de la mano como cuando teníamos doce años y nos escribíamos el teléfono de la persona que nos gustaba o anotábamos que teníamos que comprar una cartulina.

♦ Más adelante encontrarán una guía de tiradas, algunas son prestadas, otras inventadas. Sepan, para cuando quieran proponer las suyas propias, que las cartas se leen siempre en el mismo orden en que se leen la mayoría de alfabetos, es decir, de izquierda a derecha. Hacia el extremo izquierdo una carta hablará siempre de nuestro pasado; hacia el centro, de nuestro presente, y hacia la derecha, de nuestro futuro.

▽ Hay gente (mucha) que cree que cuando una carta sale invertida tiene un significado diferente. Yo, la lectora novata del tarot, soy de la escuela de que las lecturas invertidas sólo hacen daño, pues infunden miedo y atribuyen sentimientos negativos al tarot. Todas las cartas, indistintamente de su posición, hablan de cosas positivas y negativas, así que esta es una elección personal que dejo en sus manos. Si quieren leer cartas invertidas pueden buscar en libros o internet cómo hacerlo.

▽ De nuevo y muy importante: mientras barajan las cartas piensen en las preguntas (lo debe hacer quien va a leerse el tarot: ustedes mismos o su consultante), esto ayuda a cargarlo de energía para así conseguir una mejor respuesta.

▽ Al escoger las cartas, pónganlas boca abajo imitando el orden y diagrama que encontrarán más adelante para cada tirada. Después de tenerlas todas sobre la superficie se voltean de izquierda a derecha.

▽ Jodorowsky cree que el tarot funciona como una sinfonía: las cartas por separado suenan bien, pero juntas suenan mejor. Una carta puede darles información, pero es mucho más poderosa cuando se pone a dialogar con otras. Nunca olviden que cada arcano tiene un infinito número de lecturas posibles y que esto es solamente una guía para no pernos en esa inmensidad. Nunca tomen el significado de cada carta aquí escrito como una sentencia cerrada. Desarrollen su intuición y creatividad. Practiquen, practiquen, practiquen.

▽ Finalmente, Sallie Nichols plantea una idea poderosa en su libro *Jung y el tarot: un viaje arquetípico*. Para ella los Arcanos Mayores forman un mapa de viaje que se organiza poniendo a El Loco como el protagonista del viaje y a los otros veintiún arcanos divididos en tres grupos de siete. Cada nivel corresponde a una parte importante del viaje interior que todos hacemos en nuestros procesos de crecimiento personal. El primer nivel sería la fase instintiva, el segundo la fase terrenal y el tercero la fase celestial. En la página siguiente encontrarán ese mapa, dispongan sus cartas en una mesa en ese mismo orden y pónganlas a dialogar, esto les va a ayudar a perderles el miedo, pues entenderán su estructura interna de una manera más completa y se sorprenderán con las relaciones que de ahí surgen. También es un gran ejercicio para que sus tiradas fluyan de una manera más amable.

mapa DE ARCANOS MAYORES

-EL MAGO-
//KIM KARDASHIAN//

~SUMA SACERDOTISA~
//OPRAH//

· LA EMPERATRIZ ·
//BEYONCÉ//

· LA JUSTICIA ·
//MALALA YOUSAFZAI//

~EL ERMITAÑO~
// J.D. SALINGER //

~ LA RUEDA DE LA FORTUNA ~
//MARÍA, LA DEL BARRIO//

—EL DIABLO—
//MADONNA //

· LA TORRE ·
//FRIDA KAHLO//

~LA ESTRELLA~
//SOPHIE CALLE//

· EL LOCO ·
// STEVE JOBS //

· EL EMPERADOR ·
// HILLARY CLINTON //

~ SUMO SACERDOTE ~
// JUAN GABRIEL //

· LOS ENAMORADOS ·
// PORTIA YELLEN //

~ EL CARRO ~
// SHAKIRA //

~ LA FUERZA ~
// GLORIA TREVI //

· EL COLGADO ·
// BRITNEY (RAPADA) //

~ LA TEMPLANZA ~
// BARACK OBAMA //

- LA LUNA -
// SELENA QUINTANILLA //

~ EL SOL ~
// I BEYI //

- EL JUICIO -
// DAVID BOWIE //

~ EL MUNDO ~
// MERYL STREEP //

TIRADAS

Utilicen estas posibles tiradas como mapas de ruta, sus estructuras son útiles para tener lecturas más completas. En cualquier momento pueden abandonar la pregunta o tema propuesto y simplemente utilizar la estructura para construir sus propias tiradas.

¿cómo ESTARÁ EL DÍA?

Esta es una tirada simple de una sola carta que se puede hacer en las mañanas en un día cualquiera o cuando se tenga una entrevista de trabajo, cuando vayan a conocer a la suegra o necesiten una excusa creativa para no ir, por decimoquinta vez, a comer con sus amigos porque prefieren quedarse solos en la casa viendo televisión. Si mis amigos están leyendo esto, les juro que no utilizo esta tirada en nuestra amistad. En serio.

Mi amigo EL ARCANO

¿Están pasando por un momento de tristeza o dificultad, su amor platónico no aparece, no saben qué les depara su futuro como oficinistas o *freelance* o tienen roto el corazón? Pídanle a los arcanos que les den un aliado, saquen una carta y reciban su mejor significado. No se queden ahí solos, hagan de ese arcano su amigo (como aconsejan Jodorowsky y Costa), es decir, métanlo en la cartera/billetera, llévenselo a tomar café, háganle espacio en la cama, guárdenlo en una *ziplock* y báñense con él. Entre mejor traten a su amigo el arcano, mejor energía recibirán.

AMIGA, mira, ME ESTOY MINTIENDO

Aunque no parezca, somos muy buenos diciéndonos mentiras a nosotros mismos. Esta tirada está pensada para sincerarnos con nosotros y conocernos mejor. Está inspirada en la tirada de Auscultación de Alejandro Jodorowsky y Marianne Costa, y consiste en sacar un arcano al azar, ponerlo en alguna parte del cuerpo (como un doctor haría con un estetoscopio) y preguntar: ¿qué hay en mí en este nivel? Dejen que la carta les responda.

Nota: sirve aun si no se están mintiendo, de hecho, sirve así mejor.

TAROT magicomístico DE ESTRELLAS (P&P)

LA *historia* DE
MI VIDA

Con ustedes, la mejor manera de saber el aspecto pasado, presente y futuro de una situación. Sólo hagan una pregunta concreta y sigan este mapa de interpretación.

1. Su pasado cercano.
2. Su presente.
3. Su futuro.

ADIÓS PARA *siempre*

Hay patrones de los que tenemos que despedirnos, así sea a la fuerza, para comenzar a sanar. Acá una idea de cómo hacerlo.

1. Ustedes ahora.
2. Lo que hay detrás de su patrón.
3. Lo que les va a ayudar a dejar atrás sus miedos.
4. Lo que les va a dar fuerzas.
5. Lo que tienen que evitar para no recaer.

LA VERDAD,
toda la VERDAD
Y NADA *más* QUE
LA VERDAD

Hora de averiguar cómo está esa situación laboral, emocional, psicológica, creativa o lo que se les ocurra.

1. Su situación actual.
2. Cómo abordan esta situación.
3. Cómo resolverla.
4. Cómo potenciarla.

JUEMADRE, *perdí*

TAROT *magicomístico* DE ESTRELLAS (P&P)

Tirada para vencer el miedo y la ansiedad.

1. Ustedes ahora.
2. Lo que se esconde detrás de su miedo y/o ansiedad.
3. Lo que necesitan hacer para despedirse de su miedo.
4. Lo que les va a ayudar a sentirse mejor.

Miami ME LO CONFIRMÓ

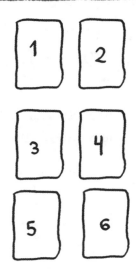

¿Conocerán al amor de sus vidas en sus próximas vacaciones o viaje de trabajo? Hora de averiguarlo.

1. Ustedes ahora.
2. El tipo de amor que creen que necesitan.
3. El tipo de amor que merecen.
4. Lo que deben ofrecer.
5. Lo que deben recibir.
6. La circunstancia en la que encontrarán ese amor.

FELICES *los* CUATRO

(Inspirada en el libro *La biblia del tarot*
de Sarah Bartlett)

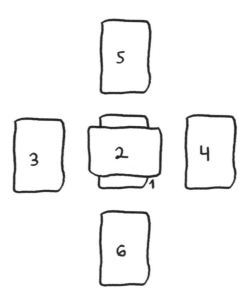

¿Quieren saber hacia dónde va su relación? Esta es su tirada. Se vale hacerla en pareja.

1. Dónde se encuentran en este momento como pareja.
2. Qué es causa de problemas en su relación.
3. Cosas que no han sido muy diestros/as en respetar.
4. Cosas que necesitan expresar.
5. Las opciones que tienen como pareja.
6. Hacia dónde se dirige su relación.

QUIZ de REVISTA

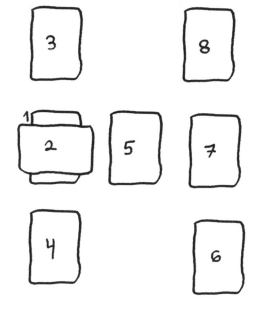

La palabra más repetida en este pequeño libro es "autoconocimiento". Así que acá hay una tirada al mejor estilo *quiz* de revista *Cosmopolitan*, que ayuda a conocerse mejor.

1. Estos son ustedes ahora mismo.
2. Esto es lo que más les molesta.
3. Acá lo que les gusta de ustedes mismos.
4. Lo que NO les gusta.
5. Su mayor talento.
6. Su debilidad.
7. Su búsqueda personal.
8. Su tótem.

NOTA

final

Voy a correr el riesgo de sonar extremada-
mente cursi y les diré que este es apenas el
comienzo de un viaje. Iniciarse en el tarot es
algo muy parecido a lo que supongo pasa una
vez que nos son revelados los grandes secretos Illuminati, es decir, comenzamos a ver
verdades (y fotos de Beyoncé y Kanye West)
por todas partes. Comenzamos a ver verdades
y arcanos. Verdades y arcanos y arquetipos.
Entre más estudien el tarot, más van a apre-
ciar el gran poder que tiene para ayudarlos
a entender el mundo, sus relaciones (seguro tendrán un compañero, novio/a, amigo/a
con derechos que encarna a la perfección

a El Loco, o seguro tienen que sanar cosas con su padre que misteriosamente se parece a El Emperador Hillary Clinton) y, sobre todo, para comprenderse a ustedes mismos.

Sí, se vale usar esto como un juego, pero nunca olviden que el verdadero poder del tarot es ayudarlos a sanar, a encontrar su camino, a olvidar penas del corazón, a superar miedos (de nuevo: guiño, guiño), y no sólo a ustedes mismos, sino también a aquellos a quienes quieren. En esta era en la que todo es confuso, en la que estamos hiperconectados, en la que no sabemos muy bien cómo estar bien y, sobre todo, cómo estar mal, me parece fundamental reconocer el valor y la importancia de tradiciones milenarias como el tarot, que no es otra cosa sino una gran herramienta de autoconocimiento.

Lo que tienen en sus manos, sin embargo, es sólo una parte de un todo. Acá están presentes los Arcanos Mayores. Por cuestiones de espacio, tiempo, practicidad y falta de experiencia no me atrevo a hablar de los Arcanos Menores, pero no dejen de explorarlos, pues enriquecen este viaje de una manera que seguro los va a sorprender. Recuerden también que este mazo y este pequeño libro son la puerta de entrada a la inmensidad del mundo del tarot desde el punto de vista de una principiante enamorada del tema. Seguro al final de este proceso nadie será un experto, pero con suerte sí sentirán ganas de seguir estudiando.

Finalmente, algo fundamental de este viaje es que les va a enseñar a leer cosas por fuera del lenguaje, van a abrir los sentidos y la intuición para entender que la literatura, y la vida, no se escriben sólo con letras sino también con símbolos, con imágenes.

QUE COMIEN7CE LA 777 MAGIA.

QUE así sea

QUE ASÍ sea

Que ASÍ SEA

Que así SEA

QUE ASÍ SEA

Que así sea